CW00863982

Cyhoeddwyd gyntaf yng Nghymru yn 2020
gan Graffeg, adran o Graffeg Limited
24 Canolfan Busnes Parc y Strade, Heol Mwrwg,
Llangennech, Sir Gar SA14 8YP
www.graffeg.com

Cyhoeddwyd gyntaf yn y Deyrnas Unedig yn 2019 gan Book Island
info@bookisland.co.uk

Addasiad: Testun Cyf.

ISBN 9781913733681

Diolch i elusennau cefnogi pobl mewn profedigaeth Cruse Bereavement Care Bryste a Let's Talk About Loss am eu cefnogaeth wrth gynhyrchu'r llyfr hwn. Ewch i crusebristol.org.uk a letstalkaboutloss.org i ddarllen rhagor am eu gwaith rhyfeddol gyda phobl sydd wedi colli anwyliaid. Mae Gofal mewn Galar Cruse hefyd yn cynnig gwasanaeth yng Nghymru.

GRAFFEG

"Mae'r oriau ymweld ar ben," meddai'r nyrs.

"Caru ti,"
medden ninnau wrth Mam.

Roeddwn i eisiau i Mam ddod gyda ni pan adawon ni'r ysbyty.

Roedd ei hoff flodau wrth ochr y stryd.

Fore trannoeth,
canodd y ffôn.
Yr ysbyty
oedd yno.
“Mae hi wedi mynd,”
medden nhw.
“Mynd i ble?”
gofynnais i.

Doedd hyn ddim yn teimlo'n real. Wnaeth neb fy mhinsio i. Ond pe bai rhywun wedi gwneud, dwi'n siŵr na fyddwn i wedi'i deimlo.

Roedd hi'n oer. Roeddwn i wedi blino.

Ond doeddwn i ddim yn gallu cysgu.

Roedd yr wythnosau nesaf braidd yn niwlog.
Daeth llawer o bobl â chardiau a blodau i ni.

Roedd pawb yn dweud, "Mae'n ddrwg calon gen i."
Ond doedd o ddim yn fai arnyn nhw.

Roedd angladd.
Roedd mwy o flodau.
Roedd mwy o bobl yn dweud "Mae'n ddrwg calon gen i."

Roedd brechdanau hefyd,
ond doedd neb eisiau eu bwyta nhw.

Doedd gen i ddim syniad nad oedd hi'n mynd i wella.
Digwyddodd popeth yn sydyn iawn yn y diwedd.
Roedd hi mor ifanc.
Druan â'i merch fach hi.

Dyma gwmwl tywyll yn
dechrau fy nilyn i bobman.

Roedd hi'n anodd i mi
ganolbwyntio yn yr ysgol.

Roedd y synau a'r lleisiau o 'nghwmpas i
yn bell ac yn wan.

Roedd fy nghorff i'n brifo, fel pe bawn i wedi bod yn nofio am ddyddiau; sut fyddwn i'n cyrraedd y lan?

Dywedodd Dad fod teimlo fel hyn yn normal.

Galar yw'r enw ar y teimlad yma. Roedd Dad yn nofio hefyd. Roedden ni'n galaru gyda'n gilydd.

Roedd yr athrawon a fy ffrindiau yn
yr ysgol i gyd yn garedig iawn…

...felly roeddwn i'n methu deall
pam roeddwn i'n dal i deimlo mor unig.

Weithiau, roeddwn i hyd yn oed yn teimlo'n
ddig fod mamau gan fy ffrindiau
a oedd yn eu nôl nhw o'r ysgol.

Yn araf bach, dyma Dad a fi'n dechrau mynd drwy bethau Mam. Pam fyddai hi'n gadael y cyfan ar ei hôl?

Roedd hi wrth ei bodd gyda'r siwmper yma.

Dwi wrth fy modd
gyda hi hefyd.

Mae'n arogli fel Mam.

Gydag amser
daeth y siwmper i arogli
fel fi yn lle fel Mam.

Yn nes ymlaen
dyma Dad yn ei golchi.

Mae rhai'n dweud bod galar yn mynd yn llai gydag amser.

Ond mae Dad yn dweud bod pethau ychydig bach yn fwy cymhleth na hynny.

Mae Dad yn dweud bod galar
fel siwmper Mam.

Mae'r siwmper yn aros yr un maint,
ond fe fydda i'n tyfu i mewn iddi ryw ddydd.

Mae'n bosib y bydd y galar yn aros
yr un maint.

Ond fe fydd fy myd i'n tyfu'n **fwy** o'i gwmpas.

Fe fydda i'n
tyfu hefyd.

Dwi wedi cadw'r siwmper mewn drôr.
Does dim angen i mi ei gwisgo hi bob dydd.

Ond dwi'n hoffi gwybod ei bod hi yno.

Dwi'n teimlo Mam ym mhobman.
Mae hi yn yr awyr, ac yn y môr,
mae hi yn y blodau, ac ynof i.